歴史の科学

はじめに

歴史は未踏の科学であると言える。歴史を知ると現在がわかり、そして、あり得べき近未来が予測できるのは、歴史が科学の一分野であることを示しているのではないだろうか。

本書では、歴史の変遷の法則を明らかにするにあたり、まずは生産形態の歴史的発展と、その発展の原動力と後進地への伝播に視点を置く。次に、エンタルピー及びエントロピーという熱力学の概念を、社会の発展とその変革に適用することで、歴史の変遷の法則を科学的に解き明かそうとするものである。

この具体的な試みは、歴史上の革命現象に典型的に示される。次いで‘歴史上の疑問点？’を年代順に提起し、科学的に考察した後に近未来に向けての提言を示したい。

１．生産形態の歴史的な発展

生産形態の形式的な発展は、生産資源の展開によって表１のように示されるが、世界史的には一様な発展は認められず、そこの土地の諸条件によって階層的な発展が見られ、より低度の生産形態に留まる社会が存在し続けた。例えば、驚くべきは最近までアマゾンやボルネオには採取・狩猟社会が存在したのである。後進を蔑むのではなく先進を称えるべきであろう。

表１　生産形態の歴史的発展

生産資源	生産形態	社会規模	支配者	例
果実・貝	採取	狭い閉鎖社会	長（おさ）・シャーマン［註1］	最近まで、ボルネオ島などに
動物	狩猟	中域な閉鎖社会	長・Sh	最近まで、アマゾン川などに
草原	遊・牧畜	広域な草原地域	ハン［註2］・Sh	最大のものは、モンゴル帝国
作物	農業	集落からクニ	長・小王・Sh	古代の邪馬台国（やまたいこく）など
商品	商業	交易圏（けん）の拡大	大商人	フッガー家など［註3］
機械動力	工業	家内から工場へ	親方から社長	フォード家など［註4］
有価証券	金融	国際金融	ＣＥＯ	ジョン．モルガンなど［註5］
Ｅメール	情報	全世界	GAFAMなど［註6］	IT・AI受益者

[註1] シャーマン：Sh(aman) とは、霊（れい）的存在と直接的に交接できる呪術（じゅじゅつ）師のこと。

[註2] モンゴルなどの北方遊牧民族の君主の称号。

[註3] 代表者はヤーコブ．フッガー (1459 ~ 1525) で、ハプスブルク帝国への融資（ゆうし）やルターの宗教改革の発端（ほったん）となった贖宥（しょくゆう）状（免罪符）の販売に関与した。

[註4] 代表者はヘンリー．フォード (1863 ~ 1947) で、ライン生産方式などの採用で、モータリゼーションを引き起こした自動車王。ちなみに、チャップリンの映画『モダンタイムス』は、フォードの自動車工場をヒントにして作成されたとか。

[註5] ジョン．モルガン (1834 ~ 1913) はアメリカの大金融（きんゆう）資本家で、GE や US スチールなどの巨大企業を産んだ。

[註6] GAFAM：現在の巨大 IT 企業のグーグル・アップル・フェイスブック（現メタ）・アマゾン・マイクロソフトを指している。

２．発展の原動力

１）特定の生産形態における生産力の成長と拡大

特定の生産形態における技術改良は生産力の成長と拡大を生み、その結果、人口増加（担い手）・余力（食料など、後世では資金や資本）の蓄積・次の生産形態の需要（期待）・それを実現する新技術（手段）をもたらした。

２）典型的な事例はイギリスの産業革命

18世紀後半、イギリスの産業革命は、事前の農業改革による人口増加が産業資本家と工場労働者を生み、その前後には海外貿易による資金・資本の蓄積もあって、さらには低コストな綿製品への需要の高まりがあり、加えて機械動力革命の蒸気機関によって紡績-織物業・石炭業・鉄鋼業・鉄道業などの工業社会を実現させた。

３．文明の伝播

先進文明は伝播手段によって後進社会に伝播し、その伝播速度は時代を下るほど加速度的に速まっていった。

１）伝播手段の展開

a. 文字の発明と解読：文字の発明は原文字に始まって多元的で複雑であるが、代表的なものは楔形文字（前3400年、シュメール）・象形文字（ヒエログリフ、前3200年、エジプト）・漢字（前1300

年、古代中国の殷)・ギリシャ文字（前 1000 年）・現在のアルファベット群などである。1822 年、フランスのシャンポリオンはロゼッタストーン（前 196 年の碑文）のヒエログリフをギリシャ語を介して解読に成功し、エジプト文明を紐解いた。

b. 媒体の発達：口コミ・口伝え・書き物・書物・狼煙・光反射・伝書鳩・手旗・郵便・各種の電波と進化してきた。

c. 印刷術の発明：木版印刷（発祥は 7 世紀中国、8 世紀日本）は近世まで、版画は現代まで存続。活字印刷（11 世紀中国）は活字が多過ぎ（6 万字余り）で普及せず。中世のグーテンベルクの活版印刷（1445 年）は、アルファベット 26 文字にて聖書を印刷、ルターの宗教改革を成功に導いた。

d. 印刷術の発展：凸・平・凹版印刷、写植など

e. SNS の展開：フェイスブック・ライン・ツイッター・ユーチューブなど。

２）伝播経路の展開

a. 陸路による

散在する農村集落の自給自足から物々交換へ、遊牧民の交易域は鉄製の馬具‘はみ’の発明で移動革命が起き、匈奴などの強大化をもたらした。有名な陸路としては、前 10 世紀から鉄器の東進路のアイアンロードや前 3 世紀からの絹の西進路のシルクロードがある。

アイアンロードとは、鉄器は前 18 世紀にヒッタイト（現トルコ）で生れ、前 8 世紀にスキタイ（現ウクライナ）から東進し、アルタイ（西シベリア南部）地方・匈奴・漢・朝鮮（前 4 世紀）へと速度を速めつつ陸路伝播したもの(巻末の付録１､付録２を参照のこと)。

極東の日本にも遅ればせながら、弥生時代の後期（２世紀）海路伝播により、青銅器と磨製石器が混在する金石併用時代を迎えた。ちなみに、製鉄には多量の木炭を要し、加えて牧草地の拡大によって、樹木の大量伐採によりアイアンロード周辺では、禿山・砂漠地・草原が多く生まれたのではないか（地図を見るとそうなっている）。

ｂ.海路による

木造小型船の河岸・沿岸の移動から、鉄器利用の大型船による外洋航海へ。有名な海路としては、８世紀からのバイキング大遠征、15世紀初頭の明・鄭和の南海大経路航海そして15～16世紀のコロンブスやマゼランなどによる地理上の発見の大航海時代（天文観測器による緯度測定）があった。ちなみに、18世紀のイギリスは、クロノメーター（舶用の精密時計）による経度測定の成功にて世界の制海権を獲得した。陸路及び海路の発展は、共に先進文明の伝播を加速化した。

ｃ.電波による

マルコーニ（イタリア、1895年）の無線通信に始まり、ラジオ・テレビ・ファックスからインターネット・SNSなどの瞬時の世界通信は、喜びと共に責任を伴う。優れた良い発信と受信は、国内と世界の正しい世論の形成に役立つ。

４．歴史学への社会的エンタルピー及び社会的エントロピーの導入

１）社会的エンタルピーＨ

青空に浮かぶ熱気球内の空気の持つ全エネルギーは、熱力学の表現ではエンタルピーH(流体の持つ全エネルギー)で表される。即(すなわ)ち、

$$H = U + pV$$

Ｕはバーナ加熱による‘内部エネルギー’で絶対温度Ｔに依存(いそん)、ｐは球皮内の圧力、Ｖはｐによる球皮の膨(ふく)らみ体積。

今､熱気球を社会に置き換えてみると､Ｕは社会的内部エネルギーとみなされる。

[a] 自然的なものとして､程よい日射量（中緯度領域)･大河･穀物種･狩猟-家畜動物種・木材・石炭-石油-LNG-レアメタル等の地下資源。

[b] 社会的なものとして、生産道具（木片・石器・土器・青銅器・鉄器・半導体・LSI・IT・AI等）や加工技術・法整備・教育制度・社会保障制度・資本力・人的資源・ジェンダー平等・環境保全策などがある。

[c] 科学的なものとして、国民の科学的レベルを示す「科学度」があり、それが低い人々には不幸をもたらす。

[a]［b］［c］は、それぞれ文明社会ほど高い値を持つ。

その社会の‘勢(いきお)い’をｐ、‘広がり’をＶと解(かい)とすると社会的エンタルピーＨは上式にて定義される。

後述の「民主度」一定の下(もと)で、社会的エンタルピーＨが増大するとその社会は成長（上昇）し､一定だと停滞､減少すると衰退（下降）する特性がある。なお、表１は、社会的エンタルピーＨの歴

史的な増大を示唆しているが、生産手段の所有関係がＨの社会的な偏在を生み、支配階級の利益と被支配階級の不利益（苦難）をもたらした。

所得格差を数値化したジニ係数ｇ［註］を例にとると、その現実値と理想社会の目標値(ゼロ)との格差はｇとなり､その改善値Ｉは｢民主度｣が高い場合、次式で表わされる。初出は、拙著［４］のｐ 47。

$$I = H \cdot g$$

比例定数Ｈはその社会的エンタルピーで、それが高いほど改善値Ｉが大きいことを示している。Ｈを常に高めておくことが肝要であろう。

［註］ジニ係数とは､所得の不公正な分配の指標でゼロ（均等分配）状態を理想とする。2019 年の世界統計では、最悪は南アフリカの 0.62、社会保障の行き届いた北欧諸国は 0.2 台、日本は 16 位の 0.33、米は 0.40､英は 0.37 と高い。世界的に所得格差が拡大しているので、ジニ係数は増大の傾向がある。

２）社会的エントロピーＳ

熱力学上のエントロピーＳは、加熱量をｑ、絶対温度をＴとすれば､Ｓ＝ｑ／Ｔで定義される。加熱では､Ｓは増大し受熱部には‘乱雑さ’をもたらす（おナベのお湯が沸き立つのと同じな）ので、Ｓは‘乱雑さ’の程度を表す。今､ｑの代りに‘社会的苦難’Ｃ（以降、単に苦難）を、Ｔの代りに‘民主度’Ｄ（民主主義のレベル）に置き換えれば､Ｓ＝Ｃ／Ｄとなり､表記の社会的エントロピーＳは‘社会的な乱雑さ（危険度)’の程度を表している。以降、‘社会的な乱雑さ’は、単に‘危険度’に読み替える。これらから、Ｄが低い状況下でＣが高まるとＳは大となって社会不安は高じ、クーデター（維新）から極め付き（Ｓ極大）は革命に至る。過去のフランス革命・ロシア革命・中国革命がそうであった。

一方、Ｄが高いとＣは民主的な議会での多数派によって、穏やかな社会変革をもたらす要因となる。過去のイギリス革命がこれに近い。努めて、Ｄを高めＳを減らす努力が大切である。

原始共同体においては民度（暮らしぶり）が低くても、民主度Ｄは高かったようであるが、その後は私有財産と生産手段の偏在が拡大して階級が生まれＤは低下していく。そして、Ｄを巡っての支配階級と被支配階級のせめぎ合いの歴史が続く。

歴史の主流は、Ｈ大の下にＤは上がりＣは減少してゆき、Ｓは低下して社会は試行錯誤的に発展してきた。逆に、Ｈ小（偏在小）の下にＤは下がりＣは増大しＳが上昇した場合には、その社会は衰退し、Ｓが閾（限界）値を超えると、「その文明」は滅亡してきた歴史もある。これは、Ｈ小の下で、その偏在が小ゆえに被支配階級による反撃（革命）が生じなかったことを示している。

‘社会的苦難’Ｃとは、独裁化・軍拡競争・戦禍・格差拡大・重税・フェイクニュース・言論統制・性差別・寸断対立・分散孤立・気候変動などで、その被害は社会的弱者が多く被るので、早期に軽減もしくは解消すべきものである。これらは、民主度Ｄが変わらなければ、危険度Ｓの増大を引き起こす。近未来に向けては、Ｄを上げＣを下げることで、Ｓを減らす社会改革の弛まぬ努力が必要だろう。

3）歴史的な検証事例

前期封建制の鎌倉・室町時代（荘園～守護領国制）における商業の成長は、独占的な‘座’制度を超える新制度の要請を高めていた。

折しも、「跡取り問題」がこじれた「応仁の乱」は1467年に始まって11年続く。これが期せずして、商業圏の拡大と交易をもたらして商業革命と言うべき‘楽市楽座’制度の到来を早めたのである。その後の戦国時代を経て織田・豊臣・徳川氏による後期封建制（大名領国制）の下で、‘楽市楽座’制度は、関所（通行税）の撤廃や道路整備などにより完成をみる。

典型的な事例として、信長の安土城下における‘楽市楽座’導入（1577年）効果を見てみよう。

民主度D一定の下で、‘座’の重税C大が、‘楽市楽座’の大幅な減税C小（臨時の軍事課税：矢銭）に改められると、（C大／D）＝S大→（C小／D）＝S小となって、危険度Sは大幅に減少したことになった（減税効果により、Dが上がればSはさらに減る）。これにより安土城下の商業活動は活発となって都市は繁栄し、臨時の矢銭（棟別徴収）による納税額は飛躍的に増えて信長の藩財政は潤沢となったのである。

要するに、社会的苦難Cが改善されると（民主度Dにも若干の相乗効果あり）、危険度Sは減少するので、その社会は幸せになることを示している。

ちなみに、苦難・民主度・危険度の関係は、人の健康に置き換えれば分かり易い。

即ち、病気（苦難）になると、体力（民主度）が低いほど治療がなければ、死期（危険度）が早まるのと同じである。さらに言えば、病気は症状の程度、体力は健康度で、死期は余命寿命で具体化されよう。症状の程度と健康度の数値化は、今後の研究課題である。

逆に、心身の健康に大志があると苦難は励起となって、人はビックになれる。

5．世界史上のＨとＳの相克現象

１）イギリスとアメリカ（Ｈ大でＳ小）

イギリスの王権制約は、1215年のマグナカルタに始まった。その後の議会優位（ゆうい）の下で、王権との対立から清教徒革命（1640～60年）と名誉革命（1688～89年）が起きた。

次（つ）いで、海外貿易や産業革命（18世紀後半）により国富化が著しく進んで（Ｈ大）、他の列強諸国とは異なって絶対主義を経（へ）ることなく民権確立の近代国家になった。その間の苦難Ｃの発生は、高民主度Ｄの議会による政治改革（選挙法や工場法など）によって低下し、Ｓ小が実現して大革命には至らなかった。このような経過は、独立革命を経て独立権と革命権を宣言する近代国家に至ったアメリカ史にも見て取れる。

２）フランス（Ｈ大でも偏在大、Ｓ極大）

近世フランスでは、重農･重商主義政策の下で人口大国になる（Ｈ大でも偏在大）一方で、啓蒙（けいもう）思想やアメリカ独立宣言の影響（えいきょう）もあってアンシャンレジーム（旧制度）批判が高まってきた。時しも、国民各層は、ルイ16世の重税による戦費補償（ほしょう）案に強く反発。過激派の武力行使（1789年７月バスティーユ牢獄襲撃（ろうごくしゅうげき）事件）は、ジロンド派のブルジョア革命を経て、ジャコバン派指導の人民革命はポピュリズム化し、ロベスピエールらの恐怖（きょうふ）政治（Ｓ極大）に至った。革命の混迷化を打開したのがナポレオンの執政（しっせい）政府で、革命の成果は人権確立のナポレオン法典に集約され、世界の法典の模範（もはん）となったのである。

3）ロシアと中国（H 小で偏在大、S 極大）

ヨーロッパの後進国ロシア（H 小で偏在大、低民主度 D）では、一次世界大戦の大敗を主因として、レーニン指導の下に世界初の「社会主義」革命が起きた（1917 年）。

革命は、外国の干渉戦や国内の反革命勢力の反撃もあって革命政策は困難を極め、スターリンの独裁・恐怖政治を生む（S 極大）。革命の成果は、労働権の確立（8 時間労働制）などあったが、反民主・反市場・官僚主義から衰退して、ソ連崩壊に至った（1991 年）。

アジアの半植民地大国中国（H 小で偏在大、低民主度 D）では、辛亥革命（1911 年、孫文）後、ロシア革命の影響もあって独立の機運が高まり、抗日戦争下の国共合作を経てアジア初の「社会主義国」が誕生（1949 年）。毛沢東指導の無謀な大躍進運動（1958 ～）と文化大革命（1965 ～）は、政治・経済・文化などに大混乱（S 極大）を招いた。

ロシアと中国は共に、H 小で偏在が大ゆえに被支配階級による反撃（革命）が生じた。

4）日本とドイツ（H 大でも偏在大、S 極大）

二次大戦を引き起こしたドイツと日本では、共に絶対主義政権下での独裁政治を生み、国民への搾取・収奪・重税（苦難 C 大）により富国化されて H は大でも偏在は大きかった。同時に、思想・報道・教育などの統制を強化（民主度 D は低下）したので、苦難 C が増大しても政治的解決は無理。それで、増大する危険度 S（＝C/D）を抑えるために弾圧を強めざるをえない。この状況から、軍国主義は強まって帝国主義まで進み大戦争へ至り（極大 S）、大敗北をもって終戦を迎えたのである。

ドイツではナチス政権の下で、アーリア人優等視・ユダヤ人劣等視から、凄惨なホロコーストが起きた。日本でも翼賛政権の下で、大和民族優等視・中国人朝鮮人劣等視からの南京虐殺事件や 731 部隊の大量薬殺事件などがあった。

上記３）と４）に共通するところは、民主度Ｄが低いと、大きな苦難（大戦禍）Ｃを招くということだ。

なお、拙著［3］のｐ 58 の「革命がおこる数式」は、革命の起きる条件を示したもの。

６．社会の‘後退性’と社会の‘後進性’

１）社会の‘後退性’の現象

歴史上、何らかの理由で後戻りした社会で、以下の事例はいずれも低民主度な状態Ｄの下で、社会的エントロピー（危険度）Ｓが増大している。

歴史的には敗戦を契機に革命か準革命が起き一定の民主化が生まれた。その後、民主化は風化し、保守派の巻き返しにより反動・右傾化が進んだ事例は多い。特に、顕著な事例はプーチンのロシアであろう。

・事例ａ　プーチンのロシア

プーチンのウクライナ侵攻（’ 22.2）後もロシア国内の支持率は高まっているとか。ロシアは広大な領土の多民族国家であり、共産党の役割が終えた（1991.12）後の統治に、カリスマ的指導者としてプーチンが登場した（1999 年）。

ロシア国内でのプーチンの高い評価は、対外的には革命以前のロシア主導の汎スラブ主義を唱えて、反NATO政策を採ったことによるものだと言われている。国内的には人権無視・報道と教育統制・軍事強化・罰則強化など戦前の軍国日本にも似た様相である。そして、覇権主義によるクリミア併合（’14.3）やウクライナ侵攻が国際法を無視して行なわれた。その結果として、世界の穀物・LNG市場の混迷及びロシア経済の低迷を来している。

ロシアは世界世論から孤立しつつあるが、ロシア困窮民・良心的市民の決起や良心的な人びとのSNS発信により改善されて、国際社会への早期な復帰を期待したい。以上のことは、軍事的攻勢を強める中国や北朝鮮にも言えることであろう。

・事例b　安倍・岸田暴走政権

長年にわたって統一教会（反共で非科学的な結社、韓国を神の国とする）に献金搾取された母親の息子・山上容疑者は、家庭崩壊を恨み、元総理大臣・安倍晋三氏を統一教会の広告塔と見なして、選挙演説中の街頭にて銃殺するという凶行に及んだ（’22.7.8）。

それを受けて岸田政権は、国民の6割が反対する国葬を国会に諮ることなく、9.27に法的根拠もないまま閣議決定にて16億円を投じて国葬を敢行した。批判の多い特定の個人を国葬にすることは憲法に違反する（自民党葬なら良い）。

安倍晋三氏は小選挙区制度で生まれた独裁政権の下に、戦後民主主義を後退させ戦争する国づくりを憲法と国会軽視の諸悪政を行なってきた。売りの‘アベノミクス’は、ひどすぎる格差と貧困を招き、異次元の金融緩和策は異常な円安をもたらし、輸出大企業には巨大利益を与えたのか、22年の国内大企業の内部留保は484.3兆円にもなった。一方では輸入品の石油・食糧等の価格高騰は、国民の家計を圧迫・困窮させている。

後継の岸田政権の罪は、‘森友・加計学園・さくらの会’等の安倍政権の国政私物化・公文書改ざんへの批判を隠ぺいと神聖化を行なったことである。また、長年にわたって害毒を流し続ける統一教会問題を隠ぺいしている。

重大なのは、ロシアのウクライナ侵攻にかこつけて、米軍指揮下の下に先制の敵地攻撃を可能とする法改正を行ない、軍事予算の倍増案など（これは、社会保障･教育予算の減額と諸税の増額を来す）が取りざたされている。岸田政権は、戦前の軍国日本を彷彿させる諸政策を採っており、今まさに、戦争によらない国際平和の構築が求められている。また、この２月の原発回帰も許せない。

・古代中国の生産諸技術と中世イスラム科学

古代中国の生産諸技術や中世イスラム科学には、優れたものが数多い。それらが途絶えたのは、前者では、それらを引継ぐ社会の制度疲労、即ち、自由競争原理を封殺した国家による‘専売制度化’の実施による。後者では、‘知り過ぎる’ことは‘神’への信仰心を弱めるとした宗教権力の規制によるものであり、中世及び近世のキリスト教にも同様な咎がある。初出は、拙著［１］の p47。

２）社会の‘後進性’の現象

国民の低科学度状態に原因がある‘後進性’の現象を歴史的に見てみよう。

・事例ａ　平成・令和などの元号制度

一世一元制度は明治以降のもので、世界で日本のみで天皇主権を定めた旧憲法の名残であろうか。日本国憲法第一条の要旨は、「象徴天皇の地位は主権の存する日本国民の総意に基づく」であり、主権者は日本国民であって天皇ではないのである。また、実務的にも昭和・平成・令和などの元号間の年数の通し計算の煩わしさの他に、世界史的な年代認識の一貫性を欠くという民族的な不利益をもたらしている。

・事例 b　アメリカ人の進化論受容

2006 年のアメリカ・サイエンス誌によれば、サルから進化して今のヒトがあるとするダーウィン進化論を受容するアメリカ人の割合は調査 34 カ国中の 33 番目の 40% と著しく低い。2019 年のギャロップ調査でも。最下位はイスラム国のトルコ。上位国は、北欧諸国で、日本はなんと 5 位（約 80%）。ノーベル賞受賞者の多いアメリカでなぜ？　その解明は難問であるが、アメリカ建国の原点は、1620 年のピルグリム・ファーザーズの宗教移民（ピューリタン：清教徒）であった。その後の世界各国からの移民は母国の宗教に結束しながらも、アメリカはキリスト教を中心とする宗教国家であった。一方で、先端の資本主義国を先導する科学・技術の発展もあって、アメリカは宗教と科学の二元論が相克し、宗教裁判（1924, スコープス）にもなるが、1957 年の旧ソ連のスプートニク・ショックや 2001 年のイスラム原理主義者による同時多発テロ事件などによって、ダーウィン進化論を受容する割合が増大傾向にあることは好ましいことである。遅ればせながら、イスラム世界もこの傾向を速めてほしい。

・事例 c　旧・統一教会（現・世界平和統一家庭連合）問題

昨今、統一教会（韓国由来の反共の宗教組織）の一連の反社会的行為を批判するテレビ・新聞報道が多い。報道によれば、信者の先祖霊からの救済を口実とする教会への多額な献金強要などにより困窮者になった信者の数多いことよ。その被害は信者二世にも及んでいるとも。現代日本において、かくも科学度が低い人が多いとは信じられないほどである。そもそも、韓国由来の統一教会は、北朝鮮の攻勢に対して生まれた経緯(けいい)から政治的には「反共産主義」を掲(かか)げてきた。統一教会は、これを日本の保守派政党に要請し、保守派政党も甘受(かんじゅ)・利用してきた感がある。

・八木アンテナ問題

TV 等に重要な‘八木アンテナ’は戦前の日本で発明されたが、その特許を当時の政府と軍部はその価値がわからず無視した。しかしながら、敵国米英はこれを高く評価して実用化に成功し、原爆投下の‘最適’な高さに‘八木アンテナ’が役立ったと、長崎の原爆資料館で説明を受けた（‘13.5）あと、展示の‘ファットマン’にその‘銘板(めいばん)’を発見した時のショック！（2013 年）は、今でも忘れられない。

・原発問題

電力会社は、原発はCO_2を出さないとして存続宣伝をしているが、これは科学的に正しくない。原発は、大容量なので日本などの島国では海洋への排熱は大きく、海水温の高温化による巨大台風・豪雪(ごうせつ)（北陸と北日本）・海洋の生態系破壊などの被害をもたらしている。

なお、大陸国では大型のクーリングタワーによって直接的に大気温度を高めている。

・石炭火力問題

日本は、石炭火力発電に固執(こしつ)しているので、環境後進国として‘化石賞’を何度も受賞しており、恥ずかしい。石炭は水素がない分、そのCO$_2$の排出は液化天然ガスLNG（主成分はメタンガス：CH4）の1.8倍も大きい。

○日本社会の後進性の再考察

昨今の報道によれば、自公政権中枢部において時代錯誤的な人権侵害の発言が繰り返されているとのこと。ここで改めて、日本社会における後進性に関して、再考察を試みるとしよう。

１）憂えるべき後進性

① 報道の自由度ランキングは、昨年世界で71位（最下位180位は北朝鮮）。主因は、メディアの政権への忖度による萎縮とされている。

② 女性の地位のランキングは、昨年世界で116位（財界や政界への進出が著しく低いことが主因とされている）。これは、女性が社会の裏方に追いやられていることを示している。

③ 統一教会問題は、教会自体の強引な献金強要による被害信徒問題もさることながら、癒着問題の秘匿に追われている政権の非誠実さであろうか。

２）これらに通底するものは？

弱者創出と彼らへの無理解からの蔑視と差別、一方では、強者創出と彼らへの忖度と従属であろうか。

３）これらの根源は何か？

江戸中期までは大らかであったものが、アヘン戦争後の欧米列強の中国侵略に怯えた支配層は、近代国家を目指しつつも没個性の古代神話時代への回帰（潜在的に危険度Ｓは大）による天皇主権の中央集権国家の建国に挑み成功した（明治維新政府）。この国家体制は敗戦によって終焉を迎え、新憲法の下、民主改革が進んだが、東アジアの「赤化」（1949年、中華人民共和国建国）を恐れたアメリカの占領政策の大転換により、旧体制の温存と再生産が何かにつけて図られてきた（潜在的に危険度Ｓは大）。こうした経緯から、神話時代からの風習（アニミズム的な針・包丁供養やシャーマニズム的な心霊・占い・お札）への依存や、権威・権力者（神々・天皇・首相・大社長・御用学者ら）への忖度と武力への依存（男性優位）意識が強い社会が未だに存続していることにある。

４）これから、どうすればいいのか？

① 何事にも、愛情と正義の気持ちの下に、武力によらず平和的志向で臨みたい。

② 一人一人の個性を尊重し、これを伸ばす公教育の改善を急ぐこと。

③科学・社会・政治教育の改善による人格の尊厳形成を図ることが大切であろう。

④ 貧弱な諸制度による弊害（税制・低賃金と過労死・老人の孤独死・子育て・性教育・移民政策・エネルギーと食糧の自給など）を民主的に政治改革すること。

以上まとめると、「後退性」は、当該社会の危険度の増大によるもので、「後進性」は、社会の進化をもたらすべき科学度が低位に留まることによるものと考えられる。

7．‘歴史上の疑問点？’を科学的に考察する

○ヒトは、なぜ二足歩行ができるのか？

東アフリカの大地溝帯の大湖沼群（トゥルカナ湖・ヴィクトリア湖・タンガニーカ湖・マラウイ湖など）における貝ほりや魚とりなどの半水棲生活で足関節群が軟化後、浮力作用の水中活動がこれらの亜脱臼をもたらして外反角（上腿と下腿が成す外向き角）の形成を来し、片足立ちと二足歩行ができたと推量される。ヒトに近いチンパンジーなどの類人猿は泳げず、片足立ちもできない。

○ことばの誕生は？　なぜ、イヌは‘ワンワン’としか言えないのか？

二足歩行のヒトは、重い頭による座屈から喉部は膨らんで、声帯膜は破裂して声帯が拡大し、喉頭部の下降と拡大もあって豊かな多音声を生んだ。また、半水棲生活での潜水運動から気管と食道の２管の自動切換え弁である喉頭蓋がうまく作用することで口呼吸が発達し、多音声からなる原始言語が誕生したのである。初出は、拙著［４］のｐ 28。

一方、四足歩行動物の場合は、頭部重力が首の根元に及ぼす曲げモーメントが著しく大きい。これを支える首の筋肉は厚くなって（内部の脛骨と食道も太い）、勢い小内径の喉部が必然となる。従って、声帯（しかも声帯膜で覆われているという）は貧弱なままで、喉頭蓋がなく口呼吸も不完全な状態なので、イヌは‘ワンワン’としか言えないのである。

ちなみに、爬虫類では、気管と食道の２管は独立しているのではほ

とんど発声できない。

○なぜ、旧石器時代が250万年も続いたのか？

天然石そのままか、破砕しただけの旧石器依存という著しく低い生産力からは、社会的変革の原動力となる社会的エンタルピーの増大を望めなかったことによる。

○ネアンデルタール人の消滅は？

小人口下での数家族集団では生産力の進化は遅れ、婚姻的には近親相姦が避けられず、劣性遺伝子の顕在化による小人口化とも考えられる。その遺伝子は、ホモ・サピエンスとの交雑により現代人まで引きつながれているとも。

○なぜ、約6万年前、人類がアフリカを出て西進とは別に、東進は、中東→西アジア→中央アジア→東アジア（南アジアへも）→アラスカ→北米→中米そして、ついには数万年後には南米下端まで移り住んだのか？

それは、生産形態が採取と狩猟に留まったため、人口増による食糧確保の生活圏の膨張によるものか？

○ギリシャ哲学は、どうやって生まれたのか？

前20世紀頃に起源を持ち、ヨーロッパ文明に多大な影響を及ぼしたギリシャ神話は、前7世紀頃からの自然哲学（原科学）者や古代科学者（ピタゴラスやヘラクレイトスら）の登場により、批判の対象となり始めた。

中でも自然哲学（原科学）者で、イオニア生まれのクセノファネス（エレア学派の始祖）は、神話中の「擬人的な神々」の相対性を否定し、神は唯一の絶対神であるべきと主張した（前９世紀頃、絶対神のユダヤ教が発祥していた）。エレア学派とは別に、ミレトス学派（始祖はタレス）も神々に替わる「万物の根源：アルケー」を種々模索した。その後、エレア学派とミレトス学派は、多元論者（エンペドクレスら）や原子論者（デモクリトスら）などに引き継がれてゆく。これらの潮流は、科学的志向の高揚によるもので、体系的な哲学の誕生を促すものとなったのである。

折しも、前431年に始まるアテネとスパルタのペロポネソス戦争は、疫病蔓延のパンデミックもあって404年アテネの大敗により、社会的には、古代神話時代の終焉を迎える。こうして、再生の倫理論と国家論要請の機運が高まり、アテネ市民のソクラテス（原論）・プラトン（応用論）・アリストテレス（総括論）らの登場となり、ギリシャ哲学の誕生に至ったのである。これに呼応して、後続の古代科学者ら（ヒポクラテス医学・ユークリッド数学・アルキメデス物理学）の誕生が見られる。

この後のヘレニズム時代では、懐疑派（ピュロン）・エピクロス派・ストア派（ゼノン.ストアら）へと引き継がれ、紀元前後の新プラトン主義（プロチノスら）に至る。詳しくは、付録３及び拙著[５]の第１章を参照のこと。

○６世紀と製鉄が著しく遅れた日本だが、日本固有の砂鉄（微小）利用の‘たたら吹’は、木炭（コークスに比べ、不純物が少ない）による迅速な還元反応により低炭素・高純度・高品位の玉鋼を産んだ。これを素材として、絶えざる工法の改良により世界一の日本刀が生まれた。賞賛すべき工法の改良の経験則はどう引き継がれたのであろうか？　欠点は、たたら製鉄が人力によることで歩留まりが悪く生産コストが高いことである。

○イスラム教の宗教改革は、なぜ起きなかったのか？

信者が、ユダヤ教よりも厳しい戒律生活において共助・共栄の救済を求めたので､信仰の自由度を狭めたことによるものか。また、イスラム教は直接的な利子を認めないことが、その後の経済発展の障害となって西欧社会に遅れを取った。今後は、教義と信仰の柔軟性に期待したい。

○モンゴル帝国は、なぜユーラシア北半部の大版図を短期間に成しえたのか？

それは、軍制（千戸制）の整った高速・大騎馬軍団が周辺の中・小王国を征服・統治した結果であった。周辺の中・小王国群はあたかも大草原に浮かぶ島嶼群のようで、このことは、第二次世界大戦で南太平洋において日本海軍の島嶼攻略にも見られた。

モンゴル帝国の繁栄は、初期の騎馬軍団の略奪とその後の大版図内のジュムチ（駅伝）制の交易によるところが大きい。加えて、フビライハーン［註］の元朝ではモンゴルの中国支配の政治的成功の上に、元国内の運河と海路整備及び流通紙幣（交鈔）発行により一大交易・商業圏が形成されたことで、元朝は重商主義国家であったとも言える。また、多民族・多宗教支配のために、当時の西洋ではありえなかった信仰の自由があったのである。

［註］フビライハーンは、モンゴル宿命の膨張主義からの、元寇の日本をはじめ侵略を受けた周辺国では悪評判であるが、実のところ、彼はリアリストでヒューマニストでもあったのではないか？

これには、クリスチャンであった母ソルコクタニ.ベキ［註］の訓育もあって、“郷に入っては郷に従え”で、中国の農耕・商業優先政策を採ったリアリストでもあり、邢州赴任時に先任の悪徳モンゴル役人の罷免や弱者救済のヒューマニストでもあったようである。

［註］DVD「フビライ・ハーン」では、‘十字’を切るシーンが何度も見られる。

○モンゴル帝国に一大キリスト教勢力があったとは？

11世紀末から聖地エルサレム回復の十字軍遠征が始まると、西洋において、東方の幻のキリスト教勢力（プレスター・ジョン）からの援軍願望があった。その根拠は、異端とされたキリスト教のネストリウス派［註］が、ペルシャ人やトルコ人などによって東方まで伝えられ（果ては中国の景教）、シャーマニズムが基調のモンゴル諸族の支配層に信徒群（フビライハーンの母ソルコクタニ.ベキなど多数）や理解者群（三男で、イル・ハン国の創始者フラグハーン［註］）らがいて、モンゴルには信仰の自由があったのである。なんと1254年5月30日には、長男のモンケハーン主催の史上初の「宗教弁論大会」が首都・カラコルムにて、仏教・イスラム教・キリスト教間の教義論争が行なわれたのである。

以後一世紀にわたって、西洋の諸王からは援軍の要請、教皇からはキリスト教への一括改宗の要請があり、逆にモンゴルからは服従と朝貢を求め、一部には援軍派遣もあったものの、同盟までには至らなかった。

当時の西洋では、世界宗教を目指し、教義の純化の下に、異端審問や魔女狩りが苛烈に行なわれ、正統派以外の信仰の自由はなかったと言える。一方、東洋のモンゴルでは、多神教的なシャーマニズム基調の長閑な下で、外来の仏教・イスラム教・キリスト教に対しても寛容な状況があって、信仰の自由が保障されたのであろう。洋の東西において、宗教の先進地と後進地の共存対比には興味深いものがある。

［註］ネストリウス派とは、イエスの母・マリアの神格を認めなかったので、431年のエフェソス公会議にて異端とされた。以降、正統派のローマ教会では、イエスの母は「マリア様」として神格化された。

［註］フラグハーンらの聖地回復の援軍は、1258年にはアッバス朝のバグダードを、1260年にはアイユーブ朝シリアを陥落させ、共にイスラム国家を滅亡させた。ちなみに、フラグハーンの愛妻や有力将軍もネストリウス派キリスト教徒であったとか。

○『東方見聞録』はどうやって生まれたのか？

1264年、父ニコロと叔父マテオは商用でヴェニスを出発し、誘われて苦難の末にモンゴルの首都カラコルムに到達し、フビライハーンに謁見した。彼らは、ローマ教皇派遣の使節団要請の命をハーンから受け帰路に就く。帰国後の父らの見聞の‘語り’は、全く信用されず悲嘆にくれるさまを見て、息子のポーロは怒りさえ覚えたのである。そこで、ポーロは、ハーンの命（教皇親書の受領）報告の父ニコロと叔父マテオの旅に同行し、己が目で見、耳で聞きしものを克明に記録しようと決意したのである。旅は、パミール高原越えなど厳しい面もあったが、ハーン下賜の「黄金稗子」（通行許可証）により比較的楽にこなされたようである。足掛け24年に及ぶ見聞録は、ポーロの多才な人文科学的能力（語学・観察・分析・

洞察・総括・文才・記憶などの手法）を存分に発揮して作成され、獄友の作家ルスチケルロの聞き取りによって著作された。

20年余の元朝滞在記録であるマルコポーロの『東方見聞録』は、西洋人の、日本も含む東洋への憧れをもたらし、コロンブスなどの大航海時代の切っかけとなった。逆に西方世界へは、中国の火薬・羅針盤・流通紙幣・印刷術などを伝えたのではないか。

○ヨーロッパは、なぜ世界文明をリードできたのか？

キリスト教の存在が大きかった？　キリスト教の旧・新約聖書の神と人との‘契約’という柔軟性が、数度の意欲的な宗教改革が可能になり、そこから科学革命の素地が醸成されたのではないか。宗教改革の原初はアウグスティヌスの『神の国』にあり、教会も世俗的としたので、後に堕落した教会組織を批判する宗教改革の根拠となった。この流れは、ウイクリフからロラード派とフス派に引き継がれ16世紀初頭のルター・ツイングリ・カルヴァンによる一大宗教改革が生まれた。中でも、カルヴァンのものは資本主義を育んだ。初出は、拙著［5］のp24,26,43。

○アリストテレス力学・ガレノス医学・プトレマイオス天文学などは、その克服には1000年ほど要したが、電気・電子・情報工学からIT・AIへの驚異的な発展が、ここ150年ほどであった理由は何なのか？　前者は人類に与えられたものであり、後者は自ら生み出したものだからか？

○ノーベル平和賞をノーベルに進言したズットナー

19世紀中葉、大国オーストリアの求心力低下と新興国プロシアの強大化によるたび重なる戦争の悲劇をなくす悲願から、ベルタ．フォン．ズットナー女史は、永久平和への実現のために理論的平和論を超えた文学作品『武器を捨てよ！』を1889年に著作。これは、ノーベルやトルストイらに強い感動を与え、ノーベル平和賞の創設に貢献。7年後には、37版、16ヶ国語の翻訳本となって世界の平和活動家や平和愛好者のバイブルとなった。

○ズットナーの平和論

彼女は、当時最新のダーウィン進化論やこれを援用した科学論と歴史論を旺盛に学び、人間と社会の高貴化により永久平和の到来を確信した。ノーベルは、これを受容することによって、“強力な武器は、戦争の抑止力となって平和がもたらされる”とした彼の通俗平和論（抑止力論は、対抗戦力を生む俗論）は止揚され、‘死の商人’という苦痛から解き放たれたのである。彼女は長年の平和活動がやっと認められて、女性として初めてノーベル平和賞の受賞者となったが（1905年）、女性がゆえに受賞が遅れたきらいがあった。

昨今のロシアのウクライナ侵攻を見るにつけ、ズットナーが134年も前に絶唱した『武器を捨てよ！』は、人類の今日的な悲願でもある。

○日本とズットナーの関わりがほとんど知られていないのは、なぜか？

1903年ズットナー女史は、オーストリア平和協会会長として日露開戦を避けるための仲介を世界各国政府に訴えた。翌年2月に、彼女は、アメリカのT.ルーズベルト大統領に仲介の電報を打ったが、その直後の8日、日本艦隊は旅順港のロシア艦隊を奇襲して開戦となって間に合わなかった。

同年、彼女は、アメリカ講演の途中、ホワイトハウスに招かれT.ルーズベルト大統領と会談し、日本とロシアの調停や国際仲裁判所の条約締結への申し入れを行ない、彼の意欲を引き出した。’06年、T.ルーズベルト大統領は、日露講和のポーツマス条約の仲介の労を取ったことで、ノーベル平和賞を受賞した。

『武器を捨てよ！』の日本語版は、遅れること何と122年後の2011年！　この異常な遅れは、かつての日本の強大な軍国主義の潮流によるものであろうか。日本語版の出版の意義は、安倍・岸田軍国主義政権に抗する平和志向の時機を得て極めて大きい。

○かつては、技術革新から科学が生まれた。良い例が、ワットの蒸気機関からカルノーの熱力学が生まれた。その後、科学が成長してくると、そこから新技術が生まれた。良い例が、電気・電子・情報工学からのITとAIである。これらは、生産性の向上に止まらず、人と社会の在りようにも大きな影響を及ぼしている。

○令和元年（2019年）の一連の古代風の「皇位継承儀式」に見られたように、日本人は、先進国の中で未だに‘古代’を引きずっており、なぜそこから抜け出せないのか？　明治維新が天皇主権の国づくりだったから？　日本人の進化を妨げているものは何か？　人格が、未だに他者（神・仏・権威者・学歴）依存で、自立していないことによるものか？　神社やお寺などのお守りやお札頼みは、科学力の未開によるものであろうか？

○公教育の社会的役割は社会構成人の養成とは別に、世界が抱える深刻な諸課題に対処できる人材を育成することであろう。日本の公教育は長年にわたって企業適応の人材育成の傾向が強く、人間教育が軽視されてきた感がある。中高生の多くは受験対策の塾通いの疲れの上に、非科学的な占いや超常現象などにはまっている。今後は、民主的な社会・政治・科学教育の充実が望まれる。

○日本でも遅ればせながら、ICT（情報・通信・技術）システムがGIGAスクールとして公教育分野にも導入（2019～）されてきたが、有効なツールとして生徒・学生の学力アップと共に彼らの個性の伸長に応えられるものであってほしい。

○かつて、ルソーやチャップリンは、さしたる公教育を受けずとも高貴人になりえたのはなぜか？　彼らは貧家の出でながら、高い自尊心と向上心の下に絶えざる独学にて偉業を成し遂げたのである。

○英才の輩出は、先輩（親や教師）が後輩（子や生徒・学生）へ、タイムリーな"励起"（疑問課題を与え、励まし奮い起こさせ、解答に至らしめる）を与えることである。

○革命の悲劇

民主度の低い国のロシアは第一次世界大戦の大敗から、中国は抗日戦争の混迷から革命に至った：拙著［3］のｐ58。これらの国は、革命後も民主度が低いままの独裁体制の下に文化政策をとった。それは、ソ連のブルジョアジー文化の排除であり、中国の文化大革命であった。これらの国は文化政策に止まらず、旧体制の覇権主義を復興させることで国威発揚を図っている。

昨今のロシアのウクライナ侵攻、中国のウィグルや香港での人権抑圧は、革命当初の反戦平和や人権尊重などの理念が無残にもついえた悲劇にも思える。

革命の悲劇は、価値観が一元化することで‘正―反―合’の弁証法的な社会再生機能が革命後の数十年、失われることである。これによりに、ロシアや中国では革命前の旧社会への先祖返り現象が見られる。

○コロナパンデミック

人類は、古代・中世・近世そして現代までの時々のパンデミックに、多くの犠牲を払いながらも克服してきた歴史がある。昨今のコロナパンデミックは世界規模のもので、対面・集会活動は大いに制約されるが、オンライン・SNSの活用により情報の拡散と集約が可能である。また、克服目指しての新ワクチン開発などの諸対策が国際的な連帯感を以て進められていることは好ましい。

○最近の日本人の体格の激変（高身長・肥満）は何によるものか？

戦後の食・住の変化の他に食品を通しての畜育ホルモンの摂り過ぎによるものか？

8．近未来に向けての提言

○近未来に向けての健やかな社会発展には、民主度の向上が極めて重要である。

個人的な要件としては、職業能力の向上をベースに、知性の基は科学であること・弱者への思いやり・不正への憤り・芸術の愛好・アポトーシス死生観の受容などが欠かせない。そして、身近な人々との助け合いをベースに、SNSなども活用して社会的連帯を求めていくことも重要であろう。
社会的な要件としては、民主的な選挙制度・報道の自由・労働条件の改善・税制の民主化・人権保障・ジェンダー平等・戦争回避などを求める共闘体制づくりの追求。

○科学の歴史を学ぼう：自然科学・人文科学そして社会科学などの発展が、歴史の変遷の進化をもたらした：拙著［5］。この流れは今後も明るい未来社会を生むであろう。科学的素養の階級的共有が、その間のカベを低くして明るい未来が期待できる。

○正義と愛のレベルアップ（本能→自己→才能→社会→真理）が、明るい未来を招来すると思う：拙著［4］の p34,35。

○ IT と AI は、人類を幸せにするか？
IT と AI 能力の階級格差を無くせば、知的資本の獲得の階級格差が解消されて、理想社会に近づくであろう。

○ EU の欧州議会は、巨大 IT 企業に対し社会的責任を果たさせる主旨の下、反すれば罰則付きの民主的なルールを守らせる法案を可決した（’22.7.5)、昨秋に施行。これは、デジタル情報世界に生存せざるを得ない人々の人権と利益を守るためのものである。日本では、立ち遅れているが早急にその法案を整備すべきだ。

○拙著『若者に伝えたいお話し』では、先端科学の一成果であるAIの活用による知的資本の獲得と既存の「工業所有権」の連結政策案を提案した：拙著［3］のp34,35。

○拙著『科学が君を「高貴化」する』では、拙著［3］の改良案として新たな「生活新案権」（グループ出願に訂正：’22.10）とベイシック・インカム（BI）と連結政策したものを提案した。これが、国での立法化及び地方自治体での条例化などで実現できれば、困窮に苦しむ若者世代に対し大いなる福音となるであろう。「生活新案権」とは、生活上の新アイデアや創作物を権利化したものを政府等にBIとして買い上げてもらう趣旨のもの。詳しくは、拙著［5］のp163以下を参照のこと。

○アポトーシス死生観にて真の安らぎを得よう
　アポトーシスとは、生命体に予めプログラム化された寿命死のことで30年ほど前から主張され、2002年にはシドニーらにノーベル賞が贈られた。アポトーシス死生観の始原は、古代ギリシャの唯物論者のエピクロスにあった。科学力が未熟で微力な時は、占いや宗教に依存するしかなかった。アポトーシス死生観は、人類に死の恐怖から解き放つものである。

○ロシアによるウクライナ侵攻が止まらない現状から、国際紛争を解決する手段は、武力を基調とする軍事力によらず国際協調による平和的解決によるべきであろう。1967年に始まり、今も成長発展している「東南アジア諸国連合」ASEANの地域間の民主度を高めた成功例に学ぶべきである。

○喜劇王チャップリンは、‘狂人’ヒットラーを揶揄した映画「独裁者」（‘40年）の最後の絶唱スピーチで、“科学と進歩が全人類を幸福に導くように”と叫び（‘22.6.6NHKTV番組)、全人類の幸福のために、科学と文化の進歩を我々に託したのである。

おわりに

明るい近未来に向けての展望は、高い民主度の下に社会的な苦難を解消していく努力に加えて、科学と愛のレベルアップを目指すことによって確かなものになるであろう。

人は生きている間に、科学的成果を学び取り込むことで、次世代へ精神的な遺産を残すことが大切であろう。

君の人生は、人類史の先端に生きる喜びと責任から始まるのだ。

参考にした図書

［1］『中国の科学と文明』ロバート.テンプル　河出書房新社　2008.

［2］『図説科学で読むイスラム文化』ハワード.R.ターナー　青土社　2014.

［3］『若者たちへ伝えたいお話』小田鴿介　東銀座出版社　2018.

［4］『難問を解決して幸せに生きるには？』小田鴿介　東銀座出版社　2015.

［5］『科学が君を「高貴化」する』小田鴿介　東銀座出版社　2021.

［6］『東方見聞録 1,2』愛宕松男訳注　東洋文庫 158　平凡社　1994.

［7］『歴史を読み替える　ジェンダーから見た世界史』三成美保全・姫岡とし子・小浜正子編　大月書店　2014.

［8］『さらば、男性政治』三浦まり　岩波新書 1955　2023.

上記［1］［2］［6］［7］［8］以外の参考図書などは、拙著［3］［4］［5］に示した。

付録１

石器・青銅器・鉄器時代の幕開けと伝播

以下の数字は概数

BC　250万年　1万年　3000年　1800年　1000年　750年　500年　400年　300年　AD 1世紀　２世紀　３世紀

石器　旧石器　新石器　（中国と朝鮮は8,7000年前から　）　日本は、まだ新石器使用　金
縄文・末期　～　弥　生　時　代　～　石

青銅器（銅と錫の合金）　発祥地：メソポタミア文明　夏・殷・周・朝鮮　日本　併
インダス文明　（困難な海路伝播）　用
参考：　エジプト文明では、錫の入手難で青銅器時代に入れなかった

（　ア　イ　ア　ン　ロ　ー　ド　）　時
鉄器　発祥地：　ヒッタイト　（東進）　アルタイ　匈奴・漢・朝鮮　（海路伝播）日本に伝播　代
(1200年前没)　（西進）　スキタイ　西欧

考察

○　鉄は地球質量の３０％を占め、地殻中の５％はアルミニュムの８％に次いで大きい。
○　旧・新石器時代が250・１万年も続いたのは、旧・新石器という著しく低い生産性によるものと考えられる。
○　日本（極東の島国）の青銅器時代の著しい遅れは、当時の船舶（丸木舟）及び航海術の未熟さ（神頼み）によるものと考えられる。
◎　鉄器の伝播を受けての自国生産は、時間をかけての製鉄条件（需要・鉄鉱石・木炭炉・ふいご）の整備により初めて可能となった。
○　日本には２世紀に朝鮮から伝播し,交易にて求めた。国産が６世紀になったのは、砂鉄利用の遅れによるものか？

参考資料　ブリタニカ国際大百科事典　Quick Search Version　Webサイトの閲覧多数
NHK　歴史ヒストリア「ニッポン鉄物語」2020.2.12放映　NHKスペシャル「アイアンロード」2020.１.1３放映

付録２

鉄器時代の幕開け・伝播論

以下の数字は概数

鉄器時代の幕開け	BC 1800年		800年		500年		400年		300？年	AD 1世紀	2 世紀	3 世紀
		（西へ伝播）	西欧									
発祥地：	ヒッタイト	（東へ伝播）	スキタイ		アルタイ		匈奴・漢		朝鮮		日本に到達	
	(1200年前没)	（ア	イ	ア	ン	ロ	ー	ド	）		世界は、今も鉄器時代だとか	
距離間隔： D , km		1700km		5000km		3000km		1000km		200km	（海路伝播）	
伝播日数： 人馬平均100ｋｍ/日として		17日		50日		30日		10日		20日(5knot)		
幕開けまでの年数（整備期間）： Y , 年			1000年		300年		100年		100？年	500年		
伝播速度： V ＝ D / Y , km / 年			1.7		17		30		10？			

参考（ シ ル ク ロ ー ド ～ 8世紀 ）

鉄器の効果
- ○ 武器改良（刀・ヤリ・矢じり・ヨロイ・はみ）：戦闘力の飛躍、はみで乗馬制御、移動革命、騎馬軍団、権威象徴器
- ○ 農具改良（スキ・クワ・カマ）：農業革命、古代国家の誕生
- ○ 工具改良（オノ・ノミ・カンナ）：加工革命、大型建造物や大型船の実現

考察

１）鉄器の伝播速度 V は、1.7 , 17 , 30 km/年 と加速度的に増大していることが分かった。

２）伝播地での製鉄の幕開けまでの年数 Y は、製鉄条件（鉄器の需要・鉄鉱石・木炭炉・ふいごなど）の整備速度 X に依存する。
X は、製鉄条件の整備速度が遅いほど小の値をとり、幕開けまでの年数 Y が長いことを示している。式で示せば、$Y = C/X$ 。
C は不確定な定数である。これで、幕開けまでの年数 Y が説明できた。

３）日本の約400年の製鉄遅れは、木炭は弥生以前には存在していたので、砂鉄利用の遅れによるものか。

参考資料　付録１と同じ

付録3

ギリシャ哲学の誕生

前2000年　ギリシャ神話の起源

神話批判	（ミレトス学派）	（自然哲学）	（エレア学派）			古代科学者
（擬人化の神々に異論）	（万物の根源の模索）	（原科学者）	（唯一存在の追求）			
前、年	（アルケー）					
600	タレス		クセノファネス			
	アナクシマンドロス					
550	アナクシメネス		パルメニデス			
						ピタゴラス
500		（多元論者）				（数の自然律）
		アナクサゴラス	ゼノン.エレア			ヘラクレイトス
450		エンペドクレス	（431~404）	（ギリシャ哲学の誕生）		（つり合い論）
		（原子論者）	（ペロポネソス戦争）	ソクラテス	（ソフィスト）	ヒポクラテス
400		デモクリトス	（疫病パンデミック）	プラトン	プロタゴラス	（医学）
			（古代神話の終焉）			
350				アリストテレス		
ヘレニズム時代			（楽天派）	（ストア派）	（懐疑派）	
300			エピクロス	ゼノン.ストア	ピュロン	ユークリッド
			（唯物論者）			（数学）
250						アルキメデス
						（テコと浮力）

小田 鴿介（おだ こうすけ）

1943 年 1 月　福岡市博多区吉塚白土邸別宅にて誕生
1962 年 3 月　福岡県立福岡高校卒業
1967 年 3 月　九州大学工業教員養成所卒業（機械工学科）
1967 年 4 月　九州大学生産科学研究所就職（国家公務員上級甲）
1984 年 3 月　生研退職（17 年間勤務）。4 月 1 日東亜大学へ転職（講師）
5 月に工学博士
1985 年 4 月～ 88 年 3 月　九州工業大学（二部）非常勤講師
1986 年 4 月　東亜大学助教授
1988 年 4 月　北九州高専非常勤講師
1989 年 4 月　東亜大学教授昇進
2006 年 4 月　同大学特任教授
2009 年 4 月　同大学客員教授
2011 年 3 月　客員教授退任
2018 年 3 月　北九州高専非常勤講師退任

前著
『難問を解決して幸せに生きるには』東銀座出版社（2015 年）
『若者たちへ伝えたいお話』東銀座出版社（2018 年）
『科学が君を「高貴化」する』（2021 年）

『歴史の科学』

2023 年 7 月 29 日　第 1 刷発行 ©

著者　小田鴿介（おだこうすけ）

発行　東銀座出版社

〒 171-0014　東京都豊島区池袋 3-51-5-B101
TEL：03-6256-8918　FAX：03-6256-8919
https://www.higasiginza.jp

印刷　創栄図書印刷株式会社

小田鴿介の本

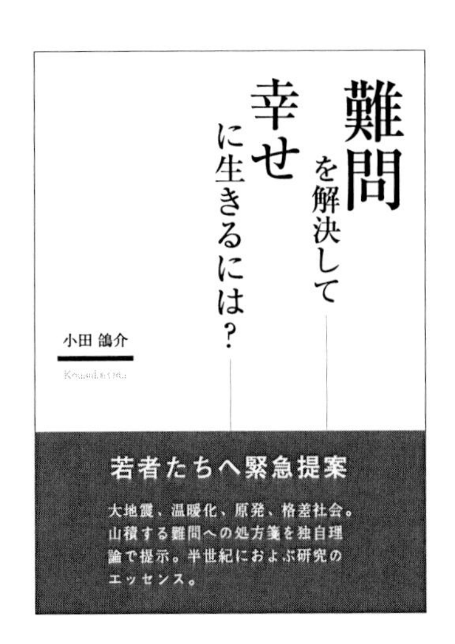

若者たちへ緊急提案が満載。原子力発電システムの欠陥、触媒燃焼技術の提案、再生可能エネルギー源、潅漑法の改良案、地球誕生から現人への進化過程の概観、ヒトへの進化過程と二足歩行論、人間性の成長と展開の概観、宗教と科学の補完と確執の歴史、人と世の中を変える法則、若者にとって難問「科学的に生きる」とは、平和で豊かな社会への緊急提案、「棲み分け理論」、お互いに助け合おう、「親父の会」への話題提供、「食べ合わせと食の安全」など、半世紀におよぶ研究のエッセンス。(2015年)

A5判・76ページ・926円＋税

大好評だった前著『難問を解決して幸せに生きるには』に続く第2弾　本書では職業選び、考え方、誰でもできるAIの活用方法など、人生のターニングポイントを迎える人へのヒントが満載です。さらに、政治や社会の問題点を見出し、どのように考えればよいのかを指南してくれます。よりよい社会の一人として成長でき、仕事に就いた時、新しい環境に身を置いた時には非常に役立つことでしょう。

最大の見どころとして、AIの活用方法を紹介しています。現在、普及が進むAI。工学博士である著者ならでは視点はとても参考になるはずです。今後、どのようにAIが活用されているかを予測し、AIをうまく活用できれば、人生を豊かに、幸せにすることが記載されている貴重な1冊。(2018年)

A5判・104ページ・926円＋税

小田鴻介の本

『科学が君を「高貴化」する』

差別雇用、所得格差、政治不信、LGBT 問題、個人情報保護、異常気象など社会問題として認識されながら、どれほどの時間が経ったのであろうか。

これらを解決するためには、偉人から学べることを忘れていないだろうか。

本書はアリストテレスからサルトルまで、社会発展を担ってきた人物の主な功績をまとめ多くの生きるヒントにする。そして、読者の未来のトビラを開くであろう１冊である。（2021 年）

A5 判・172 ページ・1,091 円＋税